¿Quién fue
Albert
Einstein?

¿Quién fue Albert Einstein?

Jess M. Brallier
Ilustraciones de Robert Andrew Parker

Altea

Santillana USA

Altea

Título original: *Who Was Albert Einstein?*
© Del texto: 2002, Jess M. Brallier
© De las ilustraciones: 2002, Robert Andrew Parker
© De la ilustración de portada: 2002, Nancy Harrison
Todos los derechos reservados.
Publicado en español con la autorización de Grosset & Dunlap, una división
de Penguin Young Readers Group

© De esta edición:
2009, Santillana USA Publishing Company, Inc.
2023 NW 84th Avenue
Miami, FL 33122, USA
www.santillanausa.com

Altea es un sello del **Grupo Editorial Santillana.** Éstas son sus sedes:

ARGENTINA, BOLIVIA, CHILE, COLOMBIA, COSTA RICA, ECUADOR, EL SALVADOR,
ESPAÑA, ESTADOS UNIDOS, GUATEMALA, MÉXICO, PANAMÁ, PARAGUAY, PERÚ,
PUERTO RICO, REPÚBLICA DOMINICANA, URUGUAY Y VENEZUELA.

¿Quién fue Albert Einstein?
ISBN: 978-1-60396-427-2

Published in the United States of America
Printed in Colombia by D,vinni S.A.

15 14 13 12 11   2 3 4 5 6 7 8 9 10

Índice

¿Quién fue Albert Einstein?

"No hay esperanza para ninguna idea que a simple vista no parezca una locura."

Albert Einstein

¿Sabías que Albert Einstein fue un mal estudiante y que fue expulsado de la escuela? Pues, es cierto. Sin embargo, fue una de las personas más inteligentes que haya existido en el mundo.

¿Sabías que Albert era amante de la paz y odiaba la guerra? Pues, es cierto. Sin embargo, su trabajo científico sirvió para crear la bomba más destructiva que haya existido jamás.

¿Sabías que Albert era tímido y odiaba ser objeto de publicidad y el centro de atención? Sin embargo, fue una superestrella de los medios de comunicación. Hoy, 50 años después de su muerte, todavía se hacen en Hollywood películas sobre su vida (y su famoso rostro sigue apareciendo en camisetas, tazas de café y carteles).

¿Quién fue Albert Einstein? Estás a punto de averiguarlo.

Capítulo 1
Nacido para pensar

"Sólo hay dos maneras de vivir la vida. Una, es como si nada fuera un milagro. La otra, es como si todo fuera un milagro."

Albert Einstein

Albert Einstein llegó al mundo el 14 de marzo de 1879 en Ulm, Alemania. Por cierto que no parecía ser un niño extraordinario. Era regordete y pálido, y tenía el pelo negro y abundante. Era tan callado y tímido que sus padres llegaron a pensar que tenía

algún problema. Lo llevaron a varios médicos. "No habla", decían sus padres. Los médicos nunca encontraron nada malo en él.

Según cuentan, Albert no dijo ni una sola palabra hasta los 3 ó 4 años de edad. De repente, una noche, mientras cenaban, habló.

—La sopa está demasiado caliente —dijo.

Sus padres, aliviados, le preguntaron por qué no había dicho nada antes.

—Porque, hasta ahora, todo ha estado bien —contestó el pequeño Albert.

No hay pruebas, sin embargo, de que esta historia sea cierta.

La mayoría de los niños de su edad jugaban a los soldados y otros juegos bruscos y violentos. Pero Albert no. De hecho, se asustaba cuando veía soldados de verdad marchando, con sus rostros inexpresivos. Albert prefería estar solo y soñar despierto. Le gustaba jugar con bloques y construir castillos de naipes, que llegaban a tener hasta 14 pisos.

La actitud tímida y callada de Albert seguía preocupando a sus padres. Lo hicieron ver por más médicos. "¿Tendrá algún problema en el cerebro?", preguntaban. Los médicos seguían sin encontrar nada malo. Decían que ésa era su naturaleza. Era una persona callada. Era un pensador.

El padre y el tío de Albert tenían un negocio de venta de baterías, generadores y cables. Albert sentía fascinación por la electricidad. Era invisible, poderosa y peligrosa. Era algo así como un misterioso secreto. Albert acosaba a su padre y a su tío con montones de preguntas. ¿A qué velocidad se mueve la electricidad? ¿Hay alguna manera de verla? ¿De qué está hecha? Así como existe la electricidad, ¿habrá otras fuerzas extrañas y misteriosas en el universo?

A Albert le encantaba pensar en un mundo más allá de lo que se puede ver o explicar. Como él mismo lo dijo después: "La imaginación es más importante que el conocimiento. El conocimiento es limitado. Con la imaginación, se puede abarcar todo el mundo".

También le fascinaba la brújula que le había regalado su padre. Sin importar lo que hiciera con ella, la aguja siempre apuntaba en la misma dirección: el Norte. Albert la ponía boca abajo, la movía hacia los lados. La usaba en la oscuridad.

Hiciera lo que hiciera, la aguja seguía apuntando en la misma dirección. Albert se preguntaba por qué.

Su padre le explicó que la Tierra es como un gran imán que siempre está atrayendo la aguja magnética de la brújula. A Albert le asombraba saber que estaba rodeado de una fuerza tan poderosa y extraña. No podía verla ni sentirla, pero ahí estaba, moviendo la aguja de la brújula.

Albert tenía más cosas en qué pensar. En la escuela no le enseñaban lo que le interesaba. De manera que, cuando tenía unos 10 años, comenzó a estudiar esas cosas por su cuenta. Se propuso leer todo lo que pudiera acerca de la ciencia.

El magnetismo de la Tierra

Los imanes tienen fuerzas invisibles. Todos los imanes tienen dos extremos: uno se llama "polo norte", y el otro, "polo sur". El polo norte de un imán es atraído por el polo sur de cualquier otro imán. Si acercas los polos opuestos de dos imanes, éstos se pegan. Pero, ¿qué pasa si tratas de acercar los dos polos iguales de dos imanes, norte con norte, o sur con sur? ¡No puedes!

El hierro que hay dentro de la tierra crea las fuerzas magnéticas. La Tierra misma tiene un polo norte (cerca del Polo Norte) y un polo sur (cerca de Polo Sur). La aguja de una brújula es magnética. Un extremo es atraído por el polo norte de la Tierra, y el otro, por el polo sur. En un extremo de la aguja de la brújula hay una flecha que siempre señala al norte.

A Albert también le gustaba tocar el violín. La música calmaba su inquieta mente. Le gustaba, especialmente, tocar a dúo con su madre, quien lo acompañaba en el piano. Un día, mientras estaban tocando, Albert se dio cuenta de repente de que los acordes musicales eran como patrones de números. Los ritmos musicales eran como contar de tres en tres, de cuatro en cuatro o de ocho en ocho. "¡La música es como los números!", le dijo a su madre. (Albert pensaba incluso cuando estaba relajándose.) Posteriormente, cuando se hizo famoso y viajaba por todo el mundo, Albert sólo llevaba dos cosas siempre con él: su maleta y su violín.

Cuando Albert tenía un año, su familia se mudó a la ciudad de Munich, en Alemania. Allí nació su hermana, Maja. Albert pensaba que su hermanita sería

un juguete, pero Maja no tenía ruedas, como sus otros juguetes. "¿Dónde están sus ruedas?", le preguntó a sus padres, claramente decepcionado al ver al nuevo bebé.

Sin embargo, la niña sin ruedas se convirtió muy pronto en su mejor amiga. Ya de grandes, les encantaba caminar y hacer excursiones a pie juntos. Con frecuencia, sus primos los acompañaban. Cuanto más alta fuera la montaña, mejor podía Albert pensar. En aquellas caminatas para pensar, usaba la brújula y pensaba más y más acerca de los misterios del mundo. Se acostaba boca arriba en el prado, miraba

el cielo y pensaba en el espacio. ¿Habrá algo más allá del espacio? ¿A qué velocidad habría que viajar para llegar a ese lugar? ¿De qué manera viaja la luz desde aquellas estrellas hasta los ojos? ¿Hasta dónde llega el espacio? ¿Podría uno viajar en un rayo de luz? ¿Habrá algo más grande que el universo?

Era como si Albert hubiera nacido para pensar. Su padre y sus tíos lo ayudaron a guiar sus pensamientos. Su hermana y sus primos fomentaban sus caminatas para pensar. Encontraba los libros que necesitaba para entender y resolver problemas de matemáticas y de ciencias. Y su madre lo inició en el mundo de la música, que cautivaba su mente de un modo que los libros no lo hacían. Así como algunos niños sueñan con ser mecánicos o veterinarios, Albert estaba destinado a ser un pensador.

Capítulo 2
¿Qué se hace con un genio?

A Albert le gustaba la escuela primaria. Los maestros eran muy amables y pacientes. Se esforzaban por responder todas las preguntas de Albert. Todo cambió cuando Albert cumplió los 10. A esa edad entró en la secundaria. Fue una experiencia horrible.

Una vez, el padre de Albert le preguntó al director de la escuela qué profesión creía que debería considerar su hijo. El director le dijo: "En realidad, no importa. Albert nunca será exitoso en nada".

Las escuelas de secundaria alemanas eran muy estrictas. Los estudiantes tenían que usar uniforme. Tenían que marchar como soldados de una clase a la siguiente. Los soldados ponían nervioso a Albert.

En las clases, había que sentarse muy derecho todo el tiempo. Los maestros daban órdenes a gritos. Los estudiantes obedecían sin chistar. No se permitía hacer preguntas. Se esperaba que Albert leyera y memorizara. No se suponía que debía pensar. Albert estaba anonadado. Éste no era su estilo. Albert llamaba "sargentos" a sus maestros, por la manera como trataban a los estudiantes.

Su materia favorita era matemáticas, porque los problemas de matemáticas no se podían simplemente memorizar. ¡Había que pensar! En casa, su tío inventaba problemas difíciles de álgebra para que Albert los resolviera. El álgebra es un tipo de matemáticas que tiene que ver con ecuaciones, y para Albert era como resolver acertijos. También le dieron un libro para que aprendiera geometría. La geometría es un tipo de matemáticas que tiene que ver con figuras (cuadrados, cubos, círculos, esferas…) y eso para Albert era como jugar con bloques. Mientras tanto, otros muchachos de su clase seguían luchando con la multiplicación y la división, y a Albert lo castigaban por hacer demasiadas preguntas.

Albert nunca se sintió cómodo con los otros chicos de la escuela. No le interesaban los deportes, y las clases eran aburridas.

Albert necesitaba un hermano mayor, alguien que ya hubiera vivido la experiencia de un bachillerato difícil y que le pudiera dar la tranquilidad de que todo iba a salir bien. Para Albert, ese "hermano mayor" fue Max Talmey. Max era un amigo de la familia que estudiaba medicina. Con frecuencia era invitado a cenar con los Einstein. Muy pronto, Max comenzó a darse cuenta de lo brillante que era Albert y a tenerle gran aprecio. Le traía muchos libros de la biblioteca de su universidad.

Max no podía hablar de matemáticas con Albert. "La genialidad de Albert para las matemáticas volaba tan alto que ya no podía seguirle el paso", escribió Max. Pero Max alentó a Albert a explorar nuevos intereses. Muy pronto, Albert comenzó a leer libros de historia y a estudiar religión.

La familia de Albert era judía. Sin embargo, sus padres no seguían muchas costumbres judías. Enviaron a Albert a una escuela primaria católica sencillamente porque pensaban que era la mejor que había.

Pero hubo un tiempo en el que
Albert quiso adoptar las tradi-
ciones de la religión
judía de manera es-
tricta. Por ejemplo, se
negaba a comer cerdo. Al
igual que muchas otras
personas, Albert no
creía literalmente en
las palabras de la Biblia, como las que
aseguraban que el mundo se había creado en tan sólo
seis días. ¿Afectó esto el interés de Albert en la religión? En realidad, no. Simplemente le dio a su curiosa
mente más temas en qué pensar. "Las ideas vienen de
Dios", decía. Y años más tarde, solía decir que su meta
como científico era poder "leer la mente de Dios".

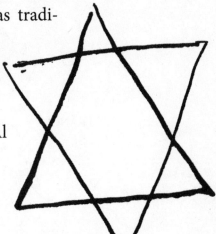

Cuando Albert tenía 15 años, su amigo Max se
mudó a Estados Unidos. Fue un duro golpe para él.
Luego, su familia se mudó a Italia, por el trabajo de
su padre; pero dejaron a Albert en Alemania para

ALEMANIA

FRANCIA

SUIZA

AUSTRIA

PORTUGAL

ESPAÑA

ITALIA

que terminara la escuela. Albert se quedó enojado y solo, y odiando la escuela más que nunca.

Albert nunca había admirado a sus maestros. Ahora, se había vuelto abiertamente irrespetuoso con ellos. "El respeto ciego a una autoridad es el mayor enemigo de la verdad", explicó una vez. Uno de sus maestros lo llamaba "perro perezoso". Otros decían que era una mala influencia para sus compañeros porque siempre estaba haciendo preguntas que los maestros no podían contestar. Como resultado de todo esto, Albert fue expulsado de la escuela.

Capítulo 3
Albert respira profundamente...
y sigue pensando

"Uno nace en un rebaño de bisontes, y debe sentirse complacido de no ser pisoteado antes de que le llegue la hora."

Albert Einstein

La experiencia de la expulsión fue muy dolorosa para Albert, a pesar de que odiaba esa escuela. Tenía vergüenza por haber fracasado tan abiertamente. Estaba enojado con sus maestros. Estaba decepcionado de sí mismo. Sin embargo, también estaba emocionado porque pronto volvería a ver a su familia.

Albert viajó al norte de Italia para encontrarse con sus padres y su hermana. Italia era muy diferente a Alemania. Muy pronto, Albert se enamoró del país. Los italianos eran muy amables, civilizados y de mente abierta. Durante los siguientes dos años, Albert asistió a conciertos y visitó museos de arte. Lo mejor de todo era que tenía tiempo para leer y pensar. Estudió la vida de varios científicos, incluyendo la de

aquellos que sufrieron porque sus ideas eran opuestas a lo que se pensaba en su época, por ejemplo, el astrónomo polaco Nicolás Copérnico (1473–1543). Éste fue criticado duramente por decir que la Tierra giraba alrededor del Sol, y no al revés. Cien años después, en 1633, un científico italiano llamado Galileo Galilei fue arrestado por decir que estaba de acuerdo con Copérnico. En los tiempos de Albert ya ninguna persona cuerda pensaba que el Sol girara alrededor de la Tierra.

El estudio de otras teorías científicas impulsó el pensamiento de Einstein aún más. En Italia, tuvo el tiempo para escribir acerca de las cosas que pensaba y para responderse muchas de las preguntas que se había hecho por años. Ahora ya era un científico de verdad. Incluso, ¡publicó su primer artículo científico en una revista cuando todavía era un adolescente!

Cuando los científicos tienen nuevas ideas que quieren compartir con otros, escriben sobre ello en las revistas científicas. Para Albert, como para todos los científicos, poder publicar los artículos era muy importante. Era la única manera de hacer que otros científicos se enteraran de sus ideas y pensamientos.

El primer trabajo que publicó Albert fue sobre electricidad y magnetismo, lo cual no es sorprendente. Después de todo, llevaba años pensando en esos temas. Lo que sorprendió a todos fue que Albert comenzó su ensayo planteando su desacuerdo con algo en lo que todos los científicos asumían como verdadero. Los científicos decían que la parte "vacía" del espacio, donde no había planetas ni lunas, estaba llena de algo llamado "éter". No tenían ni idea de qué estaba hecho el éter, ni qué aspecto tenía, cómo se sentía al tacto ni qué olor tenía. Sin embargo, todos estaban de acuerdo en que estaba ahí. Albert expresó su desacuerdo. Dijo que la parte vacía del espacio estaba precisamente así: vacía.

El primer ensayo de Albert no recibió mucha atención. Albert se sintió decepcionado, pero probablemente no le sorprendía que hubiese sido así. Después de todo, no era más que un muchacho que había sido expulsado de la escuela secundaria y que todavía vivía con sus padres. ¿Quién era él para desafiar las teorías de los científicos más respetados del mundo? Sin embargo, años más tarde, muchos de esos mismos científicos se interesarían en aquel primer ensayo de Albert y se maravillarían por la genialidad del joven científico. Porque Albert estaba en lo cierto.

Mientras estuvo viviendo en Italia, Albert salía solo a dar largas caminatas. A diario, hacía excursiones por las montañas. El negocio de su familia estaba fracasando, y a Albert le preocupaba ser una sangría para sus padres, es decir, como una esponja que recibe mucho pero que no da nada a cambio. Tenía muchas cosas en qué pensar, y las caminatas diarias y el tiempo que pasaba a solas ayudaban a aclarar su mente. "Vivía en soledad, en el campo, y me di cuenta cómo la monotonía de una vida tranquila estimula la mente creativa", decía.

Durante aquellas caminatas, Albert tomó varias decisiones importantes. Decidió ingresar a la universidad para estudiar física. Física es la ciencia de los objetos, su energía y la manera en que se mueven.

Quería convertirse en profesor de física. Albert sabía que para lograr esto tendría que terminar la secundaria. Pero estaba seguro de que ninguna escuela podía adueñarse de su mente. Albert creía que esto era lo que su escuela en Alemania había intentado hacer con él.

Albert decidió que la libertad para pensar, para explorar sus propias ideas, siempre sería lo más importante en su vida. Si alguna vez se casaba y tenía hijos, su familia, por supuesto, iba a ser importante para él. Pero jamás iban a ser tan importantes como su capacidad para pensar libremente. Para algunos, esto puede parecer una forma muy egoísta de vivir la vida.

Sin embargo, ésa era la única manera que tenía sentido para Albert.

Albert regresó a la secundaria en Suiza, donde se hablaba alemán. ¡Qué sorpresa tan agradable e inesperada! Su nueva escuela no se parecía en nada a su escuela alemana. En la escuela suiza, se esperaba que los estudiantes hicieran preguntas. Albert disfrutaba de manera especial las conversaciones con sus maestros acerca del "tiempo". ¿Con qué rapidez pasa el tiempo? ¿Qué es el futuro? ¿Viajamos al futuro, o ya está aquí? ¿Se acabará algún día el tiempo?

A Albert no solamente le gustaba la escuela suiza, también le gustaban los suizos. Eran amables y justos. Albert decidió adquirir la ciudadanía suiza. Después de su graduación de la escuela secundaria, Albert se quedó en Suiza e ingresó a una universidad llamada Politécnico Federal Suizo, en la ciudad de Zurich. No tenía dinero. Su familia atravesaba tiempos muy difíciles. Un tío le dio algo de dinero, pero no era mucho. Para poder seguir en la universidad, Albert vivía en un cuarto oscuro, comía apenas lo suficiente y no se compraba ropa nueva.

A pesar de todo, también le pasaron cosas buenas en esa época. Hizo nuevas amistades en la universidad. (Los otros estudiantes lo llamaban cariñosamente el "profesor" porque tenía muchas teorías y todo el tiempo hablaba de física.) Una de sus nuevas amistades era Mileva Maric, la única mujer en su clase. A Albert le gustaba llamarla "Dolly". Ella también era una pensadora brillante. Mileva y Albert tenían conversa-

ciones interminables sobre física y música. No pasó mucho tiempo antes de que anunciaran que se iban a casar. ("Sin tu presencia en mi mente", le escribió él a ella en 1900, a los 21 años de edad, "no podría ya vivir entre este triste rebaño de humanos".)

Luego de graduarse de la universidad, en 1900, Albert estaba listo para convertirse en profesor de física. Debieron ser tiempos maravillosos para Albert. Tenía su diploma y estaba enamorado. Sin embargo, no pudo encontrar trabajo como profesor. Su tío dejó de enviarle dinero. Su ropa estaba andrajosa. Comía poco y con poca frecuencia. Tenía problemas de salud. Sin un trabajo, no podía casarse con Mileva. Albert terminó por aceptar un trabajo en la Oficina Suiza de Patentes. No era allí donde quería estar, pero al menos era un trabajo.

Entonces, murió su padre. Fue un duro golpe para Albert. Por fortuna, tenía a Mileva. Además, sorprendentemente, su trabajo en la oficina de patentes resultó ser mucho mejor de lo que había imaginado.

Capítulo 4
Los mejores años

Cuando alguien inventa algo —por ejemplo, un aparato a pilas para rascarle la espalda a los perros caniche más pequeños— el inventor envía una descripción de su invento a la oficina de patentes. Entonces un experto examina la idea y decide si en realidad se trata de algo nuevo, o si no es simplemente una pequeña variación de algún aparato ya inventado. Si es en realidad algo nuevo, el inventor obtiene una patente, lo cual significa que a nadie le está permitido copiarlo.

Sólo una persona muy inteligente puede

ser capaz de entender un invento cuando éste está apenas en la etapa de conceptualización. Albert era ese tipo de persona. Para él, leer solicitudes de patentes era como resolver acertijos. Albert era tan bueno para hacer este trabajo, que todos los días terminaba mucho antes de que fuera la hora de irse a casa. Entonces, en el tiempo que le quedaba libre, podía dedicarse a su gran amor: pensar. Imagina lo que esto era para Albert. Era como un niño que va a la escuela todas las mañanas, termina todas sus tareas escolares en una hora y se dedica a jugar el resto del día.

Con todo el tiempo que tenía para pensar, Albert terminó escribiendo y publicando más ensayos científicos. Sólo en un año, llegó a publicar cinco ensayos completamente revolucionarios en una revista alemana de física muy famosa. "Fue como si se hubiera desatado una tormenta en mi cabeza", explicaba Albert. De cierta manera, entonces, su trabajo en la oficina de patentes resultó ser mucho mejor que el trabajo como maestro que él deseaba tener al comienzo.

Einstein en 4-D

Hay tres maneras de medir objetos: longitud, ancho y profundidad. Todas las cosas —un trozo de pan tostado, un televisor, un yoyo— miden tantas pulgadas de alto, tantas de ancho y tantas de espesor. Estas tres maneras de medir se conocen como dimensiones.

A Albert se le ocurrió una cuarta dimensión: el tiempo. Según él, la dimensión del tiempo es tan importante como la longitud, el ancho y la profundidad, especialmente cuando se mide algo tan grande como el espacio. Tratar de calcular el tamaño del espacio sin tener en consideración el tiempo que le toma a algo atravesar ese espacio, es como pensar en una canción sin considerar la letra. Algo importante está faltando.

Con su trabajo estable en la oficina de patentes, Albert se sintió capaz de pedirle a Mileva que se casara con él. Entonces, lo hizo, y ella aceptó. Se casaron en 1903. Al año siguiente nació un hijo: Hans Albert. Ahora, Albert tenía tiempo para disfrutar de la música, cenas prolongadas y largas caminatas con su familia.

Albert era feliz y se sentía seguro. Tenía confianza en su trabajo, se podía relajar, ser más él mismo. Para Albert, eso significaba vestirse de manera descuidada, usar la misma camisa arrugada por días y, con frecuencia, olvidar peinarse. Alguien dijo alguna vez: "Einstein se veía como si acabara de fumarse un cigarro explosivo".

Los años en la oficina de patentes fueron maravillosos para Albert. Tenía una familia, tiempo para pensar y para escribir muchos ensayos científicos, y suficiente dinero. Muchos de los grandes logros científicos del siglo XX —como los aparatos electrónicos, la bomba atómica y el viaje al espacio— se basaron en teorías publicadas por Einstein mientras trabajaba en la oficina de patentes. Esas ideas fueron desarrolladas por otros científicos durante las siguientes décadas.

En 1909, la Universidad de Zurich lo convenció de que dejara la oficina de patentes para convertirse en profesor. Le iban a pagar por enseñar y estudiar física. La vida podía ser incluso más maravillosa.

La teoría de la *Relatividad* de Einstein

En 1905, Albert publicó un ensayo científico sobre la "relatividad". Decía que todas las cosas, excepto la luz, viajaban a diferentes velocidades dependiendo de la situación.

Piensa acerca de la relatividad de esta manera:

Si miras hacia el cielo y ves un avión en la distancia, no parece que estuviera yendo muy rápido. Desde donde estás, pareciera que está cruzando el cielo lentamente. Pero si estuvieras parado cerca del avión, éste pasaría volando junto a ti en una fracción de segundo.

Es más: si vas sentado dentro del avión, parecería que apenas se mueve.

¿Te das cuenta de que la velocidad de ese avión se percibe de diferente manera en diferentes situaciones? Eso fue lo que Albert señaló: la velocidad de un objeto en movimiento depende de la manera como se está observando.

En poco tiempo, Albert se convirtió en un profesor muy conocido. Sus estudiantes disfrutaban de la manera como explicaba conceptos difíciles usando imágenes simples. (Piensa, por ejemplo, en esta imagen: "Un hombre que experimenta una caída libre en el campo gravitacional de la Tierra, deja caer un objeto, pero no se da cuenta de que éste está cayendo".) A Albert, por su parte, le encantaba dar clases: "La máxima habilidad de un maestro consiste en despertar la alegría en la expresión creativa y el conocimiento". Lo invitaron a dar conferencias por toda Europa. Era una estrella naciente. Albert aceptó otras ofertas de trabajo para enseñar que lo llevaron a otras ciudades europeas, como Berna, Praga y Munich.

Una idea de Einstein

Antes de Einstein, se pensaba que el Sol estaba siempre en el mismo lugar, mientras que la Tierra y los otros planetas orbitaban alrededor del mismo. Piensa en el Sol y los planetas como algo parecido a tu vecindario: tu casa está siempre en la misma calle, y tu escuela está en el mismo sitio. No tienes que salir a buscar esos lugares todos los días.

Albert, sin embargo, causó conmoción al asegurar que el Sol, las otras estrellas, los planetas —todo, y todo el tiempo— se están moviendo a través del espacio. Es como un desfile, en el que las bandas y las carrozas avanzan por la calle, todas en la misma dirección, pero conservando la distancia entre sí.

Las teorías de Albert eran sorprendentes. Por ejemplo, Albert dijo que la luz se curva a medida que avanza por el espacio. Esto sorprendió a los científicos, que habían supuesto que la luz siempre viajaba en línea recta. ¿Quién tenía razón? Con frecuencia, las teorías científicas no se pueden probar, pero ésta si podía probarse. Durante un eclipse total de Sol, la Luna bloquea los rayos del Sol de manera que no se pueden ver desde la Tierra. Gracias a esto es posible tomar fotografías de la luz de las estrellas que están más allá del Sol. Albert insistía en que un análisis de esas fotos mostraría que la luz se curva cuando pasa cerca del Sol y otros planetas. Albert sólo tenía que esperar unos cuatro años hasta que ocurriera el siguiente eclipse total de Sol, en 1914. Muchos científicos también tenían gran entusiasmo por ver si la teoría de la luz de Albert era correcta. El 1911 se comenzó a trabajar en un proyecto para enviar a un grupo de científicos a Rusia para poner a prueba la teoría de Albert. Este país era uno de los mejores lugares desde donde se podría fotografiar las estrellas durante el eclipse.

Por supuesto, todavía faltaba mucho tiempo para 1914. Mientras tanto, Albert continuó pensando, dando clases y desarrollando su estilo de "genio excéntrico". Era tan completamente distraído, que con frecuencia olvidaba las llaves de su apartamento (incluso en la noche de bodas), perdía su equipaje, olvidaba comer y usaba billetes como marcadores de libros (y luego perdía los libros). Sólo se abotonaba el primer botón de arriba del abrigo. ¿Por qué? "Así es más fácil", decía. Cuando se afeitaba, sólo usaba agua, lo cual es bastante doloroso. Entonces, un amigo le regaló espuma de afeitar. Albert la probó y le pareció maravillosa, pero luego volvió a usar solamente agua. ¿Por qué? "Así es más fácil", respondió.

Cuando le preguntaban acerca de su extraña apariencia, Albert decía: "Sería muy triste que el empaque fuera mejor que la carne que viene dentro". Lo más sorprendente era la inmensa popularidad que iba ganando entre la gente que no estaba interesada en la ciencia. Con su cabello salvaje, sus calcetines que no hacían juego, sus camisas arrugadas y sus pantalones demasiado cortos, Albert no era sólo un brillante profesor de física: era toda una personalidad. Su misteriosa y radiante sonrisa aparecía en las primeras planas de periódicos de todo el mundo: un genio que había descifrado los secretos de la mismísima mente de Dios. Aquellos que no entendían ni una pizca de física, los que no sabían la diferencia entre la masa atómica y la masa para el pan, estaban fascinados con Albert Einstein. En muchos periódicos y revistas salían artículos sobre él. Si hubiera existido ya la televisión, con seguridad Albert hubiera sido el tema de todo tipo de programas especiales de una hora.

La fórmula famosa
¡Advertencia! ¡Esto es difícil!

$E = mc^2$ es una fórmula científica. Es tan breve que parece fácil, tanto como $2 + 2 = 4$.

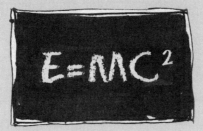

Ésa es una de las razones por las cuales esta fórmula se considera brillante. Albert se dio cuenta de que un concepto muy difícil podía explicarse de manera muy sencilla. ("Ponga las cosas de la manera más fácil posible, pero no más fáciles.")

"E" representa la *energía*, y "m" es la *masa*. Masa es la cantidad de materia que tiene algo. La masa es similar al peso. La tercera letra, "c", es la *velocidad de la luz*. La luz viaja muy rápidamente. (¿Alguna vez has tratado de ganarle una carrera?)

Básicamente, lo que dice esta famosa fórmula es que cuando una pequeña porción de masa se transforma en energía, se libera una gran cantidad de energía. Eso es lo que pasa con una bomba atómica. Se divide un átomo, la masa se transforma en energía y se libera una gran cantidad de energía destructiva.

Con esta fórmula, Einstein planteó que toda la materia, desde una pluma hasta una roca, contiene energía.

Capítulo 5
Albert agarra velocidad

"Si A es el éxito, entonces la fórmula es: A es igual a X más Y más Z. X es trabajo. Y es juego. Z es mantener la boca cerrada."

Albert Einstein

En 1913, una famosa universidad le ofreció trabajo a Albert con un salario superior a cualquiera que hubiera ganado antes. Todo lo que tenía que hacer era ir a la universidad a pensar. Sólo enseñaría cuando lo quisiera. Era como un sueño hecho realidad... casi. El único inconveniente era que la universidad estaba en Berlín, Alemania.

A pesar de que habían pasado casi 20 años desde que Albert saliera de Alemania, no había olvidado sus horribles años de la secundaria. Y a su esposa, Mileva, no le gustaba Berlín ni la gente del lugar. Sentía que eran malos y antipáticos.

Mileva, además, sentía celos por el éxito de Albert. A pesar de que ella era una científica brillante, el mundo sólo tenía ojos para Albert. Mientras más lo pensaba, menos ganas le daban de dejar Zurich y los muchos amigos que allí tenían.

Albert tenía que tomar una decisión: ¿se iba a Berlín a pensar, o se quedaba en Zurich y se dedicaba a ser un buen esposo y padre? Albert necesitaba estar rodeado de gente brillante que lo ayudara a desarrollar sus ideas. En aquella época, un científico dijo: "Sólo una docena de hombres en todo el mundo entienden la relatividad, y ocho de ellos viven en Berlín". Albert recordó sus caminatas en Italia y la promesa que se había hecho a sí mismo. Decidió irse a Berlín.

Albert dejó a Mileva y a sus dos hijos en Suiza.

Albert una vez admitió: "Trato a mi esposa como a un empleado que no puedo despedir". No resulta sorprendente que Mileva y Albert se hayan divorciado muy pronto. A partir de entonces, Albert tuvo muy poco contacto con ella y con sus dos hijos. Años más tarde, cuando Albert ganó el Premio Nobel, en 1922, le envió el dinero que recibió a Mileva y a sus hijos. Quizás esto lo ayudó a sentirse menos culpable por haber abandonado a su familia.

Hans Albert, el hijo mayor, se convirtió en un distinguido profesor de ciencias en California. De vez en cuando visitaba a su padre. El menor, Eduard, que había nacido en 1910, y a quien Albert apodaba "Tedel" (que significa "osito"), tenía gran talento para la música y la literatura, pero sufría de una enfermedad mental. Después de la muerte de su madre, Eduard permaneció en un hospital por el resto de su vida.

Una vez, Albert felicitó a su hijo Hans Albert —de cuyo cumpleaños nunca se acordaba— por haber salido a él en el aspecto familiar. "Es una alegría para mi tener un hijo que ha heredado el rasgo principal de mi personalidad: la habilidad de situarse por encima de la mera existencia, sacrificándose año tras año para alcanzar una meta impersonal. Ésta es la mejor manera —de hecho, la única— de hacerse uno independiente de su propio destino y de los otros seres humanos." Albert nunca cuestionó su decisión de elegir la ciencia por encima de su familia.

ALBERT Y LA TELE

En 1922, Albert ganó el Premio Nobel —el premio más importante que puede ganar un científico— por sus ideas acerca del "efecto fotoeléctrico". Las teorías de Albert acerca de este concepto condujeron más tarde a la invención de la televisión. (De manera que debes agradecerle a Albert por la tele.)

Respecto a la mudanza a Berlín, Mileva tenía
buenas razones para no querer vivir en Alemania.
A comienzos del siglo XX, los países europeos estaban
teniendo enfrentamientos por poder. Algunos tenían
un territorio grande, pero poco dinero. A muchas
personas no se les permitía practicar la religión que
querían. Varios países tenían una enorme población,
pero ejércitos muy frágiles. Todos querían lo que tenían otros, y estaban dispuestos a luchar por alcanzar-
lo. Las tensiones crecían y crecían. Había tanto odio,
que parecía que Europa fuera a explotar en cualquier
momento. Alemania era uno de los países más temi-
dos. El gobierno se había propuesto tener
el ejército más poderoso de Europa para poder deshacerse de sus
enemigos.

Cuando Albert llegó a Berlín, en 1913, la ciudad estaba
llena de soldados alemanes en-
trenados, armados y con ansias

de guerra. No era un lugar agradable para alguien tan pacifista como Albert. Pero hubo alguien en Berlín que le alegró la vida: su prima Elsa, que le tenía gran cariño a Albert. Comenzaron a pasar mucho tiempo juntos, y Elsa pronto se enamoró de Albert, el hombre, no el científico. Para Albert, Elsa era mejor pareja para él que la desafiante Mileva.

Al poco tiempo, anunciaron que se iban a casar.

Elsa cuidaba de Albert, lo cual era importante, pues el mismo Albert no se cuidaba. Cada vez se preocupaba menos por dormir lo suficiente y comer bien. Su médico una vez dijo de él: "Como su mente no conoce límites, su cuerpo no sigue ninguna regla. Duerme hasta que lo despiertan; se mantiene en pie hasta que le dicen que se vaya a dormir; no come hasta que no le dan de comer; y luego, hay que decirle que pare de comer". Elsa estaba pendiente de él y se aseguraba de que se levantara a tiempo, se vistiera y desayunara.

La vida con su segunda esposa era perfecta para la manera de ser de Albert. Sin embargo, resulta interesante que Albert haya elaborado sus mejores teorías científicas durante sus años con Mileva. Quizás esto no quiere decir nada. O quizás, como sugieren algunos de sus críticos, las grandes teorías de Albert fueron creadas por los dos, o incluso por ella sola. Algunas publicaciones, incluyendo la revista *Times* (que declaró a Albert Einstein "La persona del siglo" en su edición del 31 de diciembre de 1999), se han preguntado hasta dónde contribuyó Mileva a las ideas científicas de su esposo.

UNA IDEA DE EINSTEIN

Albert decía que el espacio era curvo. Es por ello que un rayo de luz, en lugar de viajar eternamente en línea recta, podía incluso regresar al punto del cual partió. Imagínate lo que esto significa. Tienes cuatro años de edad y estás en el patio de tu casa, alumbrando el cielo con una linterna. Diez años después, tienes 14 años y estás cortando el césped. De repente, ¡aparece la misma luz y te encandila los ojos! ¡Sorpresa!

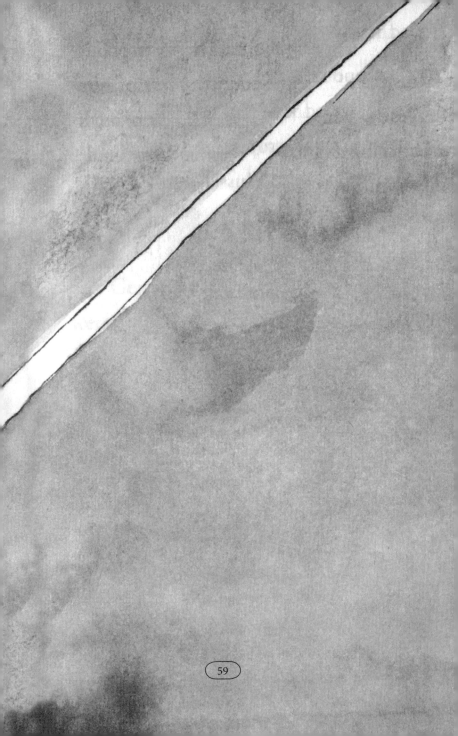

En 1914, la guerra estalla finalmente en Europa. Se desintegran los frágiles tratados políticos que habían mantenido a los países en paz. Se inició la Primera Guerra Mundial, y el poderoso ejército alemán se enfrentó a Francia, Rusia e Inglaterra, ganando rápidamente muchas batallas.

Las guerras se alimentan del odio, dejan a los países sin comida y sin dinero, y causan muchas muer-

tes. Albert odiaba la guerra. Odiaba todas las guerras. Esta guerra además le produjo una frustración específica. Albert esperaba probar su teoría de que la luz se curva con las fotografías del eclipse de 1914.  Justo cuando los científicos alemanes comenzaban a instalar sus cámaras en Rusia, estalló la guerra.

Ahora, Alemania y Rusia eran enemigos. Los rusos arrestaron a los científicos alemanes y destruyeron sus equipos. Pasó el eclipse, y nadie tomó las fotos. Había que esperar otros cinco años para que Albert volviera a tener la oportunidad de fotografiar un eclipse total del sol.

Las fuerzas combinadas de Rusia, Francia e Inglaterra con el tiempo lograron disminuir y detener las victorias alemanas. La guerra alcanzó un punto muerto. Pasaron los años, y ninguno de los dos bandos lograba tener una victoria contundente frente al otro. Alemania dedicó todos sus recursos a financiar la larga guerra, y se fue quedando sin dinero, sin comida y sin combustible. Mientras tanto, miles de soldados alemanes morían a diario.

Los líderes alemanes seguían insistiendo en que ganarían la guerra. Les dieron a los mejores científicos del país la orden de que dijeran que, efectivamente, Alemania estaba haciendo un gran trabajo en la guerra. Albert se negó a decir algo así. "Nunca hagas nada que vaya en contra de tu conciencia, incluso si quien te lo exige es el propio estado", dijo. Y lo dijo en serio.

El gobierno alemán estaba furioso con Albert. Deseaba enviarlo, a él y a su ridícula cabeza, a la cárcel. Pero la suerte estaba de parte de Albert. Todavía era un ciudadano suizo. Era difícil para los  alemanes encarcelar a alguien de otro país, especialmente de uno pacífico como Suiza.

Por fin, en 1918, Alemania perdió la guerra. Albert había logrado mantenerse en libertad. Ahora más que nunca, estaba comprometido a promover la paz.

El año siguiente, 1919, habría un eclipse total, el primero desde aquel de 1914 que no fue fotografiado. Para Albert y su teoría de que la luz se curva, era el momento de "hablar ahora o callar para siempre". En Alemania, muchos científicos esperaban que se demostrara que Albert estaba equivocado. De ser así, quizás, todas sus otras teorías serían también ignoradas.

Antes del eclipse, se instalaron cámaras en dos lugares: una en América del Sur y otra en una isla de África Occidental. Se decidió usar dos cámaras por si de repente en un lugar se movían las nubes, bloqueando el eclipse. Si eso pasaba, todavía tendrían la oportunidad de tomar las fotos en el otro sitio. Las cámaras se pusieron apuntando hacia el Sol. En condiciones normales, la intensidad de la luz solar hace que sea imposible ver o fotografiar el movimiento de la luz en su paso junto al Sol y los planetas. Pero esta vez, la Luna iba a estar entre el Sol y la Tierra, bloqueando así la luz solar. La luz que normalmente no

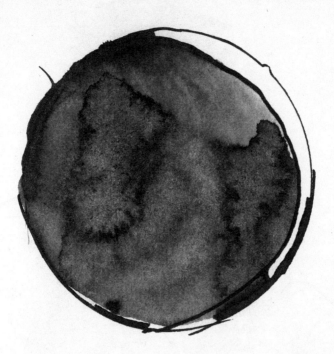

se puede ver se iba a poder fotografiar. Se dispararon las cámaras. Albert estaba seguro de que, cuando las fotografías se revelaran, mostrarían cómo la luz se curva al pasar junto al Sol y los planetas.

El 7 de noviembre de 1919 se anunció la noticia: Albert tenía razón. ¡La luz se curva! A pesar de que muy pocos entendían con precisión lo que Albert decía, el mundo entero reconoció que era un genio.

De repente, Albert se convirtió en una superestrella. Una compañía de tabaco incluso lanzó un nuevo producto: "El cigarro Einstein". Durante el año que siguió al eclipse, se publicaron más de 100 libros y artículos sobre Albert. Hoy, 80 años después, las publicaciones sobre Albert se cuentan por miles.

Todo esto puede sonar maravilloso, pero para Albert significó perder su apreciada privacidad. La atención que recibía, según le escribió a un amigo, "es tan mala que me cuesta respirar, por no hablar de poder sentarme a trabajar en algo importante".

Albert fue el primer genio superestrella.

Albert hizo lo mejor que pudo en medio de su incomodidad. Debido a su creciente fama, podría haberse hecho rico saliendo en programas de radio, dando discursos y escribiendo libros. Un teatro de Londres incluso le ofreció pagarle el dinero que quisiera por aparecer en su escenario junto a tragafuegos y equilibristas. El "número" de Albert consistiría en explicar sus teorías. Albert no aceptó. En lugar de hacer dinero, quería usar su influencia para mejorar el mundo. Para Albert, eso implicaba un mundo sin guerra.

Capítulo 6
Guerra... otra vez

"A menos que la causa de la paz, basada en la ley, logre suscitar la fuerza y el celo que despierta una religión, no será posible esperar que tenga éxito."

Albert Einstein

La fama también le trajo a Albert miles de cartas de gente de todo el mundo. No sólo le escribían científicos; también niños, periodistas, líderes políticos y estudiantes universitarios. Muchas cartas eran de judíos que vivían ahí mismo, en Alemania. No podían asistir a la escuela, se les negaban empleos y no se les permitía votar. Albert era judío. ¿Podría él hacer algo al respecto?

Durante mucho tiempo Albert había deseado ayudar a crear una patria para los judíos. Israel, la actual nación de los judíos, no existía a comienzos del siglo XX. El territorio que hoy pertenece a Israel, entonces se llamaba Palestina. Albert creía, como muchos otros judíos, que ése era el lugar donde debía estar la patria de los judíos.

En 1921, Albert viajó a Estados Unidos con un grupo de judíos influyentes. Su objetivo era reunir dinero para establecer una patria judía en Palestina.

Albert disfrutó el largo viaje en barco desde Europa hasta América. Miró la inmensidad del océano y se sintió "disuelto y sumergido en la naturaleza". Le recordó lo diminuto que es un hombre comparado con la grandeza de la naturaleza. Él no era tan importante como el mundo lo consideraba. Esa idea, según dijo, "me hace feliz".

Fue por eso que Albert se llevó una gran sorpresa al ver a miles de personas, incluyendo periodistas y fotógrafos, esperándolo en el puerto cuando su barco llegó a la Ciudad de Nueva York. Dondequiera que iba, se encontraba con grandes multitudes ansiosas de ver al genio que reveló secretos del universo. El alcalde de Nueva York en persona le dio la bienvenida y le entregó la llave de la ciudad. Luego, se

realizó un desfile en su honor. Cuando Albert visitó Washington, D.C., el presidente Warren Harding lo invitó a la Casa Blanca.

La apariencia de "genio excéntrico" de Albert le encantaba a los estadounidenses. Albert fascinaba a los reporteros con su cabello salvaje, su ropa desordenada y su simpatía. Con frecuencia le preguntaban: "¿Podría explicar brevemente su teoría de la relatividad?". La pregunta exasperaba a Albert, ya que desarrollar aquella teoría le había tomado unos 15 años de intenso trabajo mental. Sin embargo, respiraba profundamente, sonreía y decía: "Cuando un hombre se sienta junto a una bella muchacha durante una hora, le parece que ha sido un minuto. Pero, pídanle que se siente sobre una estufa caliente durante un minuto, y seguro le va a parecer más de una hora. Eso es la relatividad".

A pesar de que Albert era toda una estrella en Estados Unidos, en Alemania se había convertido en un problema indeseable. Aunque todavía tenía su trabajo como profesor en Berlín, cada vez se le hacía más difícil vivir allí. Su vida corría cada vez más peligro desde los años treinta, cuando los nazis tomaron el control de Alemania. Los nazis odiaban a los judíos, a los intelectuales y a los pacifistas. Albert era las tres cosas. Cuando los nazis vaciaban las bibliotecas universitarias y quemaban los libros, con frecuencia las obras de Albert eran las que sobresalían en las enormes hogueras.

Ya en 1930 Albert había producido gran parte de sus teorías más importantes. Ahora estaba dedicado a la política y a la oratoria. Esto enfurecía aún más a los nazis. Elsa le pedía que, por su seguridad, dejara de hablar en contra de los nazis. Él se negaba. "Si me quedara callado, yo no sería Einstein", decía. También se negaba a abandonar Alemania, a pesar de que cada vez más amigos y familiares le suplicaban que lo hiciera.

Los Einstein, sin embargo, sí hicieron muchos viajes a países en donde eran bienvenidos. Viajaron por el Medio Oriente, Asia y la costa oeste de Estados Unidos. Dondequiera que iban, los recibía una multitud con ovaciones y aplausos. En Japón, el día que Albert llegó fue declarado fiesta nacional. En España, lo recibió el rey, acompañado por miles de admiradores.

Albert recibió títulos honoríficos de Oxford, Cambridge, la Sorbona, Harvard y muchas otras universidades de todo el mundo. Fue profesor invitado, juntó fondos para causas judías y advirtió acerca del creciente odio político en Alemania. Extrañamente, a Albert lo adoraban en todo el mundo, excepto en el país que lo había visto nacer. Los nazis publicaron un libro titulado *Cien autores en contra de Einstein*. Todo lo que Albert dijo fue "¿Por qué cien? Si yo estuviera equivocado, con uno habría sido suficiente".

Hitler y los nazis

Alemania no había podido recuperarse de su derrota en la Primera Guerra Mundial. El tratado que puso fin a la guerra dejó a los alemanes hambrientos, pobres y sin esperanza. Los nazis (miembros del Partido Nacional Socialista) culpaban a los judíos de todos los problemas del país. Al comienzo de los años treinta, el partido nazi había dejado de ser un pequeño grupo con ideas extremadamente peligrosas para convertirse en uno de los partidos políticos más poderosos de

Alemania. Los dirigía Adolfo Hitler, quien fue nombrado canciller de Alemania en 1933. El gobierno de Hitler le negó a los judíos una vida normal. No podían asistir a la escuela, tener un empleo, tener propiedades ni practicar su religión. Con el tiempo, los nazis comenzaron a asesinar a los judíos. Querían borrarlos de la faz de la Tierra. Mataron a seis millones de judíos hasta 1945, cuando terminó la Segunda Guerra Mundial y Alemania fue derrotada.

Albert tuvo suerte de haber sobrevivido en la Alemania nazi. En 1931, cuando Albert se encontraba en California trabajando como profesor invitado, Adolfo Hitler lo declaró espía, y firmó su orden de ejecución. En 1933, cuando Albert y Elsa estaban regresando a casa después de su viaje a California, los nazis allanaron su casa de verano en Caputh, Alemania. Hallaron un cuchillo para cortar pan en la cocina, un lugar donde no resulta extraño en absoluto encontrar un

cuchillo. Los nazis usaron el cuchillo como "prueba" de la peligrosidad de Albert. Los nazis confiscaron todas las posesiones de Albert, su casa y su dinero.

Ahora no había duda de que tenían que irse. Albert y Elsa alquilaron una casa en Bélgica. Las hijastras de Albert vinieron a vivir con ellos. Pero llegó a Bélgica un nuevo libro publicado en Alemania, que incluía fotografías de los enemigos de los nazis. La foto de Albert aparecía en la primera página, junto

a la leyenda "No ahorcado aún". Bélgica ya no era un lugar seguro. ¿Adónde podrían ir ahora? ¿A Inglaterra? No. A Elsa le daba miedo vivir allí. En Inglaterra, los nazis estaban ofreciendo una recompensa por la muerte de Albert. Albert bromeó: "Nunca me imaginé que mi vida costara tanto". Al final, decidieron que su nuevo hogar sería Estados Unidos.

NO AHORCADO AÚN

Albert se convirtió en profesor de matemáticas en el Instituto de Estudios Avanzados de Princeton, Nueva Jersey. (Albert pidió un sueldo de $3,000, pero Elsa logró que lo aumentaran a $16,000.) Hacia finales de 1933, Albert y Elsa estaban comenzando su nueva vida en la pequeña ciudad universitaria.

Los primeros años en Princeton fueron muy difíciles. Albert tenía 54 años de edad. Ya no era un hombre joven, y ya no estaba sorprendiendo al mundo con nuevas ideas. Además, Elsa murió tan sólo tres años después de haberse mudado a Princeton. Albert estaba solo y tenía el corazón destrozado. Tenía problemas de salud. Prácticamente no se había apartado

de Elsa durante su último año de vida. Como si fuera poco, todo el tiempo recibía noticias de amigos que habían sido asesinados en Alemania.

Con la energía que le quedaba, tomó la determinación de hacer lo que estuviera a su alcance para detener a los nazis. Daba conciertos con su violín para reunir fondos. Pero eso no iba a terminar con Hitler.

Según la famosa fórmula de Albert, $E = mc^2$, si se convirtieran en energía tan solo unos cuantos átomos, la cantidad de energía liberada sería enorme. En 1939, Albert se enteró de que unos científicos europeos estaban tratando de hacer una bomba atómica. Albert temía lo que los alemanes podían llegar a hacer si fueran los primeros en construir dicha bomba. Entonces, le escribió una carta al presidente de Estados Unidos, Franklin D. Roosevelt, solicitándole que se comenzara a desarrollar una bomba atómica en este país inmediatamente.

No debió haber sido nada fácil para un hombre como Albert escribir esa carta. Albert odiaba la guerra. Odiaba las armas. No obstante, le estaba pidiendo a Estados Unidos que se apresurara a crear la bomba más destructiva que se pudiera imaginar. La bomba atómica más sencilla podía destruir una ciudad entera y matar a miles de personas en segundos. Sin embargo, Albert estaba convencido de que era peor que los alemanes fueran los únicos en tener un arma así. En parte debido a la carta de Albert, el presidente Roosevelt ordenó que secretamente se comenzara a trabajar en la fabricación de una bomba atómica.

LA BOMBA ATÓMICA

En la Segunda Guerra Mundial, Japón se alió con Alemania e Italia. Había entonces dos frentes de batalla: Europa y las islas del Océano Pacífico. A finales de 1941, Estados Unidos se unió a Inglaterra y Francia en la lucha contra Alemania y Japón. Se enviaron tropas estadounidenses a ambos frentes de batalla.

A las 8:15 de la mañana del 6 de agosto de 1945, un avión del ejército estadounidense arrojó una bomba atómica sobre la ciudad japonesa de Hiroshima. En un instante, 80,000 personas murieron. Hiroshima, simplemente, desapareció. La gente que se encontraba en el centro de la explosión se evaporó. Todo lo que quedó de ellos fueron sus sombras chamuscadas en las paredes de los edificios.

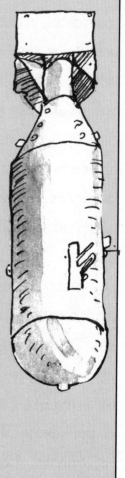

A los tres días, Estados Unidos arrojó
otra bomba sobre otra ciudad japonesa:
Nagasaki. Japón se rindió de inmediato,
y finalizó la Segunda Guerra Mundial.

El mundo ahora contaba con
armas que podían destruir más
allá de lo imaginable. Décadas
de pensamiento e investigación
científica, incluyendo el trabajo de Einstein, hicieron posible la creación de la bomba
atómica. La guerra la convirtió en una realidad.
El mundo ya no volvió
a ser el mismo.

JAPÓN

✴ Hiroshima

Nagasaki

Más tarde, Albert reflexionó sobre este momento de la historia de la humanidad. "Cometí un gran error cuando firmé aquella carta para el presidente Roosevelt, recomendándole que se hicieran bombas atómicas... pero había una justificación: el peligro de que fueran los alemanes quienes las hicieran."

Después de la Segunda Guerra Mundial, Albert dedicó su tiempo y energía a tratar de limitar el desarrollo de armas atómicas. "No sé cómo se va a librar la tercera guerra mundial", advirtió Albert, "pero sí sé cómo se va a librar la cuarta: con palos y piedras." Lo que quiso decir fue que después de una tercera guerra mundial con armas atómicas, el mundo moderno desaparecería y los humanos volveríamos a vivir en cavernas. "Nosotros, los científicos", dijo Albert, "tenemos que tomar como un deber solemne el hacer todo lo que esté a nuestro alcance para evitar que se usen esas armas."

Hoy, todavía hay gente que culpa a Einstein por la bomba atómica, porque fue él quien descubrió la relación entre masa y energía. Pero, acaso, ¿puede alguien culpar a Isaac Newton —quien explicó por primera vez las leyes de la gravedad— por cada avión que se cae y se estrella en la tierra?

En 1940, a los 61 años, Albert se convirtió en ciudadano de Estados Unidos. Durante el resto de su vida, permaneció en Princeton trabajando en algo que él llamaba "teoría unificada de campos". Sorprendentemente, nunca presentó una teoría finalizada.

De varias maneras, la vida de Albert había regresado a su punto de partida. Hacia el final de su vida, escribió: "Por lo general se me considera una especie de objeto petrificado al que los años han dejado sordo y ciego". Le gustaba salir a caminar, como siempre lo había hecho. Nunca manejó un auto, pero le encantaba navegar. Solía salir en su barco de un solo motor, avanzar en dirección a otro barco y virar bruscamente en el último momento.

En Princeton se acostumbraron a verlo caminando de su casa a su oficina, y viceversa, con frecuencia conversando con sus vecinos. (Hablaba inglés con acento y con errores: *"I tink I will a little study." "She is a very good theory."*) Su cabello desordenado, ahora blanco, se puso aún más salvaje, y solía no usar calcetines, cinturón ni tiradores. Algunos muchachos le preguntaban por qué no usaba calcetines. Él respondía, con una sonrisa traviesa, que ya estaba tan viejo que si no quería hacerlo no tenía por qué hacerlo.

Dicen que durante sus caminatas, Albert se detenía, por ejemplo, para ayudar a algún chico a reparar

su bicicleta. Y cuando una niña
llegaba a su casa pidiéndole ayu-
da con su tarea de matemáticas,
Albert no sólo la ayudaba
con eso, sino que compar-
tía con ella su almuerzo o
una lata de frijoles.

En cuanto a sus propios hijos, Albert raramen-
te los veía. Hans Albert había huido de la Alemania
nazi y más tarde se estableció en California. Eduard y
Mileva continuaron viviendo sin problemas en Suiza,
donde Mileva murió en 1948.

Maja, la hermana y mejor amiga de Albert, fue a
vivir con él a Princeton. De niño, Albert tenía muy
mal carácter, y una vez golpeó a Maja en la cabeza.
Ahora, ella sonreía y decía: "Para ser la hermana de
un pensador, tienes que tener un cráneo muy fuerte".

La vida en Princeton era placentera. En las no-
ches, así como de niño tocaba a dúo con su madre,
Albert se reunía con otros músicos a tocar el violín.

Al final, pasó los últimos veinte años de su vida en su casa, en el número 112 de la calle Mercer, en Princeton. Le gustaba mucho la casa vieja, sus jardines y la manera como la luz entraba por las ventanas. Cuando se mudaron a esta casa, Elsa hizo construir un ventanal en el estudio de Albert. Desde allí, Albert podía disfrutar la belleza y los misterios de la naturaleza, como siempre le había gustado hacerlo. Desde ahí veía los pájaros volar, las plantas florecer y salir el sol cada mañana.

Capítulo 7
Se le acaba el tiempo

"Todo está determinado, tanto el comienzo como el final, por fuerzas sobre las cuales no tenemos control. Todo está determinado para el insecto tanto como para la estrella. Los seres humanos, los vegetales y el polvo cósmico, todos danzamos al ritmo de una misteriosa melodía, entonada a la distancia por un intérprete invisible."

Albert Einstein

En 1948 la salud de Albert estaba deteriorada. Su corazón cada vez era más débil. Un médico insistió en que tomara cierta medicina. Albert dudó. El médico insistió. Entonces, Albert tomó la medicina e inmediatamente se enfermó del estómago. "Ahí tiene", le dijo al médico con brusquedad. "¿Se siente mejor ahora?"

Sin embargo, tenía razones para sentirse feliz.

En 1948 se creó la nación judía de Israel. Albert rebosaba de alegría. Todo su trabajo había ayudado a crear algo maravilloso. Tras la muerte del primer presidente de Israel, le pidieron a Albert que asumiera como segundo presidente. Albert no aceptó. "La política es para un momento, mientras que una ecuación es para toda la eternidad", escribió en una ocasión. No obstante, se sintió enormemente honrado con el ofrecimiento.

En 1950, Albert hizo su testamento. Quería que todos sus documentos científicos fueran entregados a la Universidad Hebrea de Jerusalén. En 1951, murió Maja. Ahora, Albert no tenía ni a su esposa ni a su hermana. Estaba más solo que nunca. Puso fotos de la familia por todas partes.

Solía decir: "Una fotografía nunca envejece. Tú y yo cambiamos. La gente cambia con los meses y con los años, pero una foto siempre permanece igual. Qué agradable es mirar el retrato de una madre o un padre tomado hace muchos años. Los ves como los recuerdas. Es por ello que pienso que una fotografía puede ser algo amable."

Varios años más tarde, luego de una breve enfermedad, Albert ingresó al hospital de Princeton. El 17 de abril de 1955, pidió que le trajeran sus anteojos, papel y un bolígrafo a su cama. Tenía trabajo que hacer (pensar). Al día siguiente murió, con una hoja llena de ecuaciones a su lado. Albert estuvo pensando hasta el final de su vida. La última carta que escribió fue para instar a todas las naciones a renunciar a sus armas nucleares.

La casa de Einstein en el 112 de la calle Mercer, en Princeton, Nueva Jersey, no recibe ningún tratamiento especial diferente al de cualquier otra casa del vecindario. Así lo quiso Albert. Le preocupaba que si la convertían en un museo, la gente se iba a interesar demasiado en sus memorias, en lugar de concentrarse lo suficiente en su propio futuro.

Después de la muerte de Albert, la comunidad científica lamentó la pérdida de una mente grandiosa y original.

Los judíos lamentaron la pérdida de un líder que siempre deseaba un mundo mejor y más pacífico, incluso en los momentos más oscuros de la historia de los judíos.

Y todo el mundo lamentó la pérdida de un hombre extraordinario, amante de la paz. Quizás Albert lo expresó mejor con estas palabras: "La única vida que merece la pena es la que se dedica a otros".

Albert no fue el mejor esposo. Tampoco fue el mejor padre. Sin embargo, como afirmó un amigo, Albert fue "el hombre más libre que he conocido".

Capítulo 8
Una última idea

Albert dejó estas instrucciones para después de su muerte: donen mi cerebro a la ciencia, incineren mi cuerpo y arrojen las cenizas en algún lugar secreto.

Así se hizo.

Entonces, ¿dónde está ahora su cerebro?

Después de que murió Albert, le hicieron una autopsia a su cuerpo. Durante el proceso, el médico,  Thomas Harvey, extrajo su cerebro, lo estudió, concluyó que no había nada de especial en él y lo puso en una botella con formaldehído.

Más tarde, el doctor Harvey se mudó a Wichita, Kansas, y se llevó el cerebro consigo. Estaba cortado en pedazos, y lo mantuvo en dos botes, dentro de una caja de cartón marcada "Sidra". Desde entonces, nuevos estudios realizados por varios investigadores médicos han encontrado que el cerebro de Albert es un poco más interesante de lo que le pareció a Harvey. (El doctor Harvey les dio a los científicos pedazos del cerebro.) El cerebro de Albert pesaba menos que un cerebro promedio, era un 15 por ciento más ancho y sus surcos estaban configurados de una manera poco común. Sin embargo, aún se desconoce la importancia de esas diferencias.

Harvey conservó el cerebro durante más de 40 años. En una ocasión, Harvey y un escritor llamado Michael Paterniti, pusieron el cerebro en la cajuela de un auto y lo llevaron a California para darle un pedazo a Evelyn, la nieta de Albert. Al poco tiempo, Harvey le entregó el cerebro al hospital de Princeton, donde todavía se encuentra flotando en un bote de vidrio.

¿Te imaginas lo que Albert hubiera pensado de todo esto?

Albert Einstein
1879-1955

Línea cronológica de la vida de Einstein

1879	Nace Albert, el 14 de marzo, en Alemania.
1881	Nace Maja, la hermana de Albert.
1889	Albert comienza la escuela secundaria.
1894	La familia de Albert se muda a Italia, y lo deja en la escuela alemana.
1899	Albert decide hacerse ciudadano suizo.
1900	Albert se gradúa de la universidad.
1902	Albert consigue un empleo en la Oficina de Patentes.
1903	Albert se casa con Mileva Maric.
1905	Albert presenta su teoría de la relatividad.
1909	Albert se convierte en profesor de la Universidad de Zurich.
1914	Albert deja a Mileva y a sus hijos, y se muda a Berlín, Alemania. Albert debe esperar para probar la validez de su teoría de que la luz se curva.
1919	Albert se casa con Elsa.
1921	Albert visita Estados Unidos.
1922	Albert recibe el Premio Nobel de Física.
1931	Adolfo Hitler declara espía a Albert y firma su orden de ejecución.
1933	Albert y Elsa se mudan a Princeton, Nueva Jersey.
1936	Muere Elsa.
1940	Albert se hace ciudadano de Estados Unidos.
1948	Muere Mileva.
1951	Muere Maja, la hermana de Albert.
1955	Muere Albert, el 18 de abril.

Línea cronológica del mundo

Thomas Edison inventa la bombilla eléctrica.	1879
Clara Barton funda la Cruz Roja Estadounidense.	1881
Se termina en París la Torre Eiffel. Vincent van Gogh pinta *La noche estrellada*.	1889
Se descubren los rayos X. Se proyecta la primera película de cine en París.	1895
Se llevan a cabo los primeros Juegos Olímpicos modernos, en Grecia.	1896
El doctor Sigmund Freud publica *La interpretación de los sueños*.	1900
Se descubre el primer fósil de *Tyrannosaurus rex*.	1902
Los hermanos Wright vuelan un avión por primera vez.	1903
Se inaugura el primer teatro de cine.	1905
El estadounidense Robert Peary llega al Polo Norte.	1909
Se hunde el *Titanic*.	1912
Estalla la Primera Guerra Mundial.	1914
Termina la Primera Guerra Mundial.	1918
Se inaugura la primera autopista en Alemania.	1921
Se encuentra la tumba del rey Tutankamón.	1922
Adolfo Hitler es nombrado canciller de Alemania.	1933
Franklin D. Roosevelt es reelegido como presidente. Se inventa el juego *Monopolio*.	1936
Estalla la Segunda Guerra Mundial.	1939
Termina la Segunda Guerra Mundial.	1945
Se crea la nación de Israel.	1948
Se usa en la radio por primera vez la frase "rock and roll".	1951
Se inaugura Disneylandia en California.	1955

¿Quién fue...?

¿Quién fue Albert Einstein?

¿Quién fue Amelia Earhart?

¿Quién fue Ana Frank?

¿Quién fue Benjamín Franklin?

¿Quién fue Fernando de Magallanes?

¿Quién fue Harriet Tubman?

¿Quién fue Harry Houdini?

¿Quién fue Mark Twain?

¿Quién fue el rey Tut?

¿Quién fue Tomás Jefferson?